KT-501-895

RETROUVEZ

DANS LA BIBLIOTHÈQUE ROSE

c'est pô une vie...

même pô mal...

c'est pô croyab'

ZEP

titeuf

c'est pô croyab'

Adaptation : Shirley Anguerrand

HACHETTE

© Éditions Glénat / Hachette Livre, 2000.

Tous droits de traduction, de reproduction
et d'adaptation réservés pour tous pays.

Hachette Livre, 43, quai de Grenelle, 75015 Paris.

Ce matin-là, Corinne est arrivée à l'école avec un cocard.

Moi j'ai tout de suite pensé qu'elle faisait de la boxe ou quelque chose du genre, mais Hugo, lui, il veut toujours faire croire qu'il en sait plus que moi.

D'après lui c'était pô du tout la boxe : c'était son père qui la battait. Il avait vu ça à la télé.

Pôv' Corinne !

Moi, si mon père me mettait un cocard, je téléphonerais à la police ou je le dirais à ma mère ou à la maîtresse.

En tout cas, je me laisserais pô faire comme ça !

Comme Hugo avait pô d'idée, j'ai pris sur moi de filer un coup de main à Corinne.

J'ai trouvé qu'un seul moyen, c'était d'aller lui parler pour lui dire de se défendre.

J'étais assez fier de moi, j'avais trouvé les mots qu'il fallait dire à Corinne :

Elle avait l'air vachement étonné.

Elle m'a dit des trucs qui n'avaient rien à voir, que « attention, j'insultais son père ».

En fait, elle avait pô l'air content du tout.

Quand je pense que c'est à cause d'Hugo que j'en suis là... Heureusement que les autres regardent pô la télé...

2

À chaque fois qu'on prend le bus sans payer, on a droit au contrôle.

Manu avait une sacrée pétoche de se faire pincer, et pôf ! Ça a pas raté !

Manu a commencé à dire que c'était de ma faute parce que j'avais pô voulu payer.

Mais c'était pas la question.

Il fallait surtout trouver une solution, et vite.

Alors j'ai pensé très fort à toute vitesse, et j'ai trouvé :

On était tombés d'accord pour mon plan.

Quand le contrôleur est arrivé, on a commencé à parler chinois : moi j'ai dit « Tching, tchong », et Manu a dit « Tcheng, tchang ». On était hyper au point.

Mais le contrôleur insistait en s'énervant.

On était mal...

Finalement, on a été obligés de lui expliquer qu'on était chinois.

Il a pas eu l'air de nous croire du tout et on a pensé que là, on était vraiment foutus.

Et puis il a dit :

Incroyable ! On n'arrivait même pô à croire que ça avait marché, tellement ça avait marché ! En allant à l'école, on se sentait vraiment invincibles :

On les aurait tous !

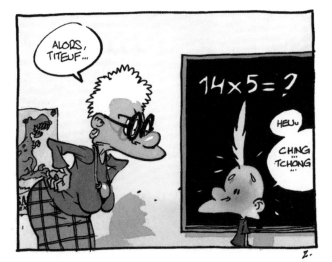

3

Ils se changent en mettant leur serviette autour de la taille.

Et moi ça me fait rire de les voir se tortiller pour enlever leur slip sans faire tomber la serviette. Mais c'est pô ça le plus drôle : là où on rigole bien, c'est quand y'a du vent.

Et aujourd'hui, du vent, y'en a des rafales à faire voler toutes les serviettes de toutes les piscines de toute la terre... Y faut pas rater le spectacle !

Manu dit que ch'uis un dégoûtant, mais il regarde quand même parce que c'est la nature...

Surtout quand la nature est bien faite...

Pas de bol, le vent s'est calmé d'un coup. Avec Manu, on a soufflé tout l'air qu'on a dans le ventre, mais ça a pô marché.

Fichue serviette, elle tenait bon et nous on n'a rien vu de ce qu'il y avait en dessous.

On a dû attendre des heures que quelqu'un d'autre se déshabille sous sa serviette, et en plus, la maîtresse est venue nous déconcentrer...

Elle nous posait des tas de questions pendant qu'elle se changeait sous sa serviette. Si on bronzait bien, si on faisait pô de bêtises, et tout. Et puis, paf !

Des fois, quand même, la nature, elle est plus drôle du tout...

4

C'était en plein dessus, tout vilain et moi j'aime pô les verrues, et j'aime surtout pô quand elles viennent sur moi.

Évidemment, les copains étaient tous au courant : forcément, ça se voyait comme une verrue au milieu de la main.

Ils sont tous venus voir rien que pour m'énerver...

Leurs trucs à la noix, ils peuvent se les garder, parce que maman, elle sait mieux qu'eux ce qu'il faut faire. Elle m'a mis une compresse à l'ail sur la verrue pour la faire partir.

Mais ça a aussi fait partir les filles, à cause de l'odeur.

En fait, ça n'a fait partir que les filles, parce que la verrue, je l'avais toujours, mais qui puait l'ail.

Cette fois j'en ai eu marre ! J'ai décidé d'en finir en héros...

Fallait pô que je rate mon coup : y'avait Nadia qui regardait et si j'assurais, j'étais un samouraï pour toujours !

Alors j'ai arrêté de réfléchir et j'ai serré les ciseaux d'un coup !

Ça a marché !

J'ai été héroïque, comme
c'était prévu...

Et j'ai plus de verrue...

5

Ramon, il se fait toujours avoir ! Cette fois, je lui ai fait croire qu'il y avait un type qui habitait derrière la grille, qu'il avait un tigre et que chaque année y'avait des accidents. Ramon a tout avalé comme un petit de maternelle.

Il a trouvé ça horrib'.

Avec Manu, ça nous a donné l'idée de lui faire un coup à Ramon...

Je me suis caché derrière la grille pour enlever mes habits pendant que Manu appelait Ramon.

Quand Ramon est arrivé, Manu a pris un air de catastrophe et lui a montré mes habits par terre...

Moi, j'étais caché en slip derrière et je faisais le tigre.

C'était pliant ! Ramon est tombé dans le panneau comme c'est pô possib' !

Sauf qu'on avait pô prévu que Ramon allait nous croire à ce point...

Manu a rien pu faire pour l'arrêter, et moi j'étais toujours en slip dans la rue...

C'était carrément plus drôle du tout.

Si je rentrais chez moi comme ça, j'allais attraper un de ces savons que même le tigre à côté ç'aurait pô été pire.

M'enfin c'était pô grave, j'avais qu'à aller chercher mes habits chez Ramon, et hop, c'était réglé...

Papa, il range toujours les bédés trop haut et tout serré pour m'obliger à lire les romans que la maîtresse nous conseille à l'école.

Alors j'ai tiré super fort pour attraper celle que je voulais et tous les livres me sont tombés en plein sur la figure.

Comme ça ressemblait pô aux livres que nous donne la maîtresse, on est allés se cacher dans ma chambre pour le regarder...

Dedans y'avait des images de statues à poil avec des tas de

positions tordues et même la tête à l'envers.

Manu, il avait bien vu que c'était des statues, mais fallait quand même qu'il le dise...

Il a dit que c'était drôlement plein de gens tout nus pour un livre d'art. Moi j'ai dit que c'était normal, que les statues c'est toujours tout nu.

Manu a répondu que ça dépend, que Napoléon, il est toujours habillé, lui.

On a tourné la page. Et là, y'avait une fille qui marchait sur le zizi d'un type ! Heureusement, le type sentait rien, il était en pierre.

N'empêche, on se posait des questions...

On était tellement plongés dedans que j'ai oublié d'aller remettre les autres livres à leur place au salon.

Évidemment, mon père a fini par le voir et il s'est mis à crier que j'aurais pu les remettre à l'endroit.

Des fois, c'est pô croyab', il nous prend vraiment pour des naïfs !

7

Papa a débarqué dans ma chambre avec cette chose horrible dans les bras et je me demandais bien ce qu'il comptait en faire.

Je me suis pô posé la question longtemps : la chose allait rester dans ma chambre.

On aura tout vu ! Le lit du bébé dans ma chambre ! Et pourquoi pô le bébé aussi ?!

Papa m'a dit que c'était justement ce qui allait se passer : quand il arrivera, je devrai partager ma chambre avec lui.

J'ai dit à papa qu'on pouvait mettre le bébé chez Ramon.

Vu qu'ils sont déjà quatre, un de plus un de moins, ça changerait pas grand-chose...

Mais papa n'a pas cédé. Il a dit qu'on était d'accord pour que je partage ma chambre. Mais il était d'accord tout seul, moi j'avais pô dit oui pour de vrai.

Alors j'ai couru en parler à maman au salon.

Maman a commencé à m'expliquer pourquoi, mais elle a pô pu finir parce qu'il s'est passé quelque chose dans son ventre.

Moi j'entendais bien les bruits que ça faisait dedans. C'était comme un gros gargouillis mouillé.

Il avait l'air plutôt peinard le bébé, on aurait dit qu'il nageait en faisant des tas de bulles bizarres comme dans un grand bain chaud.

J'ai écouté ses glou-glou pendant quelques minutes et puis maman m'a dit que je pouvais aussi lui parler...

8

Tous les copains étaient au fond de la cour.

Et au milieu des copains, y'avait Marco.

Quand les copains sont en cercle comme ça, c'est qu'il y a un truc à voir...

...alors je m'suis approché.

Pour un truc à voir, c'était vraiment un truc à voir...

Vomito il a pô eu le droit de regarder parce que c'était secret, mais moi j'ai demandé quelle drogue c'était.

C'était une boule à base d'herbe : du schmitt, ça s'appelle.

Comme je m'y connais pô mal, j'ai voulu savoir si c'était de la drogue dure. Marco a répondu que non, c'était plutôt mou et Hugo a dit que ça valait hyper cher.

Moi, ça m'intriguait...

Marco en voulait cinq francs,

ça nous a paru super cher. Alors on a commencé à marchander.

Finalement, Marco a bien voulu qu'on paie en Carambars.

C'est moi qui ai essayé en premier. J'ai avalé tout rond la boulette...

Comme les autres voulaient essayer aussi, Marco est allé chercher une espèce de cage où il cachait la drogue. Dedans, y'avait aussi un lapin et Marco a dit qu'il s'appelait Toto. On lui a dit qu'on s'en foutait de Toto, qu'on voulait d'autres boulettes. Et Marco a répondu que justement, il fallait attendre que Toto digère pour nous en faire d'autres...

9

Cette fois-là, pour le cours d'éducation sexuelle, la maîtresse avait fait venir une « péssialiste » du sexe (ça veut dire qu'elle sait plein de trucs sur le sexe et même peut-être des trucs marrants).

Tout le monde a commencé à écrire ses questions sur un bout de papier :

Vomito a demandé sur son petit papier si on pourrait pô laver les spermatozoïdes pour enlever le virus du sida.

Manu, je me doutais de ce qu'il avait écrit parce que y'a pô grand-chose d'autre qui l'intérresse...

Y'avait des filles qui voulaient pô dire ce qu'elles avaient écrit comme questions, mais moi je sais qui a posé celle-là :

Y'a que Nadia qui nous a montré son petit papier. C'était écrit : *Est-ce que les spermatozoïdes qui n'ont pas pu rentrer dans l'ovule sont tristes ?*

Au début, ça se passait plutôt bien quand on a rendu nos papiers à la maîtresse.

On a même bien rigolé quand madame Fibrome a lu les questions...

Et puis, quand elle a lu la mienne, elle est devenue très blanche et elle a tendu mon papier à la maîtresse qui est devenue toute rouge. Quand ch'uis rentré à la maison, j'étais rouge comme la maîtresse...

Pourtant, elle était super ma question...

10

Ça les a pris d'un seul coup. Ils avaient l'air dans tous leurs états. Surtout maman. J'ai demandé ce qu'elle avait et papa a dit que c'était le bébé qui arrivait.

Papa faisait les bagages pendant que maman se tordait

sur le canapé en respirant fort.

Papa a dit que maman avait mal à cause des contractions.

Et c'est vrai que maman avait l'air d'avoir drôlement mal au ventre...

Papa, ça allait, il avait pô mal au ventre...

Mais il était assez énervé comme s'il était en retard.

Ils ont pris les bagages de maman et, en partant, papa m'a dit que j'allais rester tout seul à la maison comme un grand et il m'a donné le téléphone de la maternité, parce que c'est là qu'il emmenait maman.

Et juste avant de fermer la porte, il a ajouté :

JE NE REVIENDRAI SÛREMENT PAS AVANT DEMAIN... FAIS-TOI CE QUE TU VEUX À MANGER...

Et puis ils ont claqué la porte. Je les entendais encore sur le palier. Maman disait « Houlâ » et « Aïe ». Papa disait seulement « On y va... On y va... » et puis ils sont partis pour de bon.

Moi, tout ce que je savais, c'est que papa avait dit que je pouvais manger ce que je voulais !

Et je me suis pas gêné !

Les placards interdits d'habitude parce que « c'est des saletés, c'est pas équilibré », ce jour-là, j'y avais droit comme je voulais ! Y'avait tout ce que j'aime et en plus j'étais pô obligé de manger ce que j'aime pô !

J'ai tout mis sur la table et j'ai mangé, mangé, mangé...

C'EST TITEUF...
IL A DES CONTRACTIONS...

OUILLE

11

Diego, il est dans la classe au-dessus, il est grand, il est fort, et il est bête.

Mais il est surtout grand et fort. Et il en profite pour nous charrier comme si on était des nuls. Et moi j'aime pô qu'on m'insulte...

Là, c'était trop fort !

Les « nains », ils allaient pô se laisser faire comme ça.

J'ai un peu attendu que Diego s'éloigne et j'ai dit :

J'étais vraiment super énervé. Les copains ont été épatés.

Ils ont commencé à raconter aux autres que je m'étais pô

laissé faire, et les autres m'ont trouvé hyper balèze.

Ma réputation est arrivée jusqu'aux filles, et ça, c'est le top de la gloire...

C'est Marco qui a tout fait foirer quand il a dit :

« Vas-y, Titeuf, pète-lui la gueule à Diego ! »

Et moi j'avais pô du tout prévu ça. Parce que Diego, il est
quand même hyper grand.

Le problème, c'est que les
autres ont commencé à s'y
mettre aussi : « Tu vas lui explo-
ser la tête, hein, Titeuf ?
Crashe-lui le portrait ! »

Moi j'étais mal, mais bon,
tant que ça restait entre nous...

Et puis un jour...

C'était là, en énorme, carrément sur le mur.

Si Diego voyait ça...

Et il l'a vu.

Tous les copains s'étaient mis derrière moi et ils n'arrêtaient pas de répéter « vas-y, explose-le » et c'est là que Diego est arrivé et qu'il m'a dit :

« Tu voulais me voir, minus ? »...

12

Qu'est-ce que la voisine avait encore trouvé à me refourguer comme trucs nuls qui tapent la honte ?

Maman a dit que son fils pouvait plus les mettre tellement il avait encore grandi.

Maman a commencé à déballer la galerie des horreurs.

Y'en avait pour tous les goûts, sauf le mien, comme par hasard...

Maman m'a obligé à tout essayer. Elle faisait des commentaires pour me faire croire que j'avais de la chance...

Maman m'a mis une chemise top-ringarde et j'ai dit ce que j'en pensais. Papa a voulu aider maman et il a dit qu'à mon âge, il aurait été content.

Je lui ai demandé si c'était la mode au Moyen Âge et il a pô aimé...

J'ai dû partir à l'école avec la chemise de nul et les parents, ils avaient aucune idée de ce qui m'attendait...

Mais moi, je le savais...

J'en ai eu pour mon compte. Les copains m'ont pô lâché.

Ils se sont foutu de ma chemise toute la matinée et dans ces cas-là on se sent vraiment hyper seul.

Heureusement, y'avait Ramon...

Mon mégakill en avait déjà vu de toutes les couleurs pendant ses combats, mais je l'avais jamais vu dans cet état-là.

Il était cassé en plein de morceaux couverts de bave gluante, et c'était pô tout ! J'ai aussi trouvé mon album de Dragon-Znork tout rongé, tout arraché.

Je suis allé dire à maman que Zizie avait détruit toutes mes affaires. Maman a pô eu l'air de trouver ça si grave...

Elle m'a dit que Zizie l'avait pô fait exprès et que je devrais aller lui faire un bisou pour faire la paix.

Pô fait exprès... Pô fait exprès... N'empêche qu'elle avait bouffé mon mégakill !

Enfin... Je me suis dit qu'en allant faire la paix avec Zizie, elle arrêterait peut-être son massacre.

Zizie était assise par terre toute sage, en train de baver.

Finalement, elle avait pô l'air si dangereuse que ça, elle était même plutôt mignonne, alors j'ai décidé de lui faire un bisou.

C'est en m'approchant que j'ai remarqué qu'elle avait quelque chose dans la bouche.

Je l'ai retiré pour voir ce que c'était...

Je sais pô comment Zizie avait réussi à faire entrer tout un poster de Basket dans sa bouche, mais à la sortie c'était plutôt moche à voir.

J'avais vraiment fait tout mon possib' pour arranger les choses, mais là, c'était allé trop loin...

14

le miracle de la vie

Les parents m'avaient obligé à promener Zizie (ma petite sœur) dans son landau.

Déjà, lui changer les couches, c'est la honte, mais bon, ça se passe à la maison et personne me voit... Alors que dans la rue, ch'uis connu...

Les copains disaient que j'allais enlever mon T-shirt pour lui donner le sein, des trucs comme ça. Ils rigoleront moins quand leur papa égarera un spermatozoïde, mais bon, c'est les copains, ça passe...

Et tout à coup, la tuile :

Les filles ont commencé à faire coucou et gouzi à Zizie.

Je m'attendais à ce qu'elles se fichent aussi de moi devant les autres, mais non : elles m'ont demandé si elles pouvaient porter Zizie.

Elles avaient l'air plutôt contentes. Moi j'attendais qu'elles finissent de gazouiller pour continuer ma promenade.

J'aurais jamais pensé que des filles pourraient être cool à ce point-là !

Et au moment de se dire au revoir...

Et en plus, le bisou, c'était Nadia !

Des fois, les filles elles sont bizarres. Elles font pô du tout les mêmes trucs que nous, et quand on croit qu'elles vont faire un truc, elles font l'inverse... Enfin, j'me comprends...

En tout cas, Zizie, elle est giga !

Table

tchô!

le plus petit journal mégágéant de la planète

CADÔ ! le mouv' ta face ! **16**

GIRLPOWER

titeuf affronte les filles

tchô!

Le méga journal de titeuf

de la BD !

des JEUX !

UN CADÔ !

En vente en kiosque
À lire dans toutes les cours de récré

Glénat

Mademoiselle Wiz,
une sorcière particulière.

Mini, une petite fille
pleine de vie !

Fantômette,
l'intrépide
justicière.

Avec le Club des Cinq,
l'aventure est toujours
au rendez-vous.

es héros grandissent avec toi !

Kiatovski,
le détective en baskets
qui résout
toutes les enquêtes.

Dagobert,
le petit roi
qui fait tout à l'envers.

Rosy et Georges-Albert,
le duo de choc
de l'Hôtel Bordemer.

Avec Zoé,
le cauchemar devient
parfois réalité.

Imprimé en France par **Partenaires-Livres**®
n° dépôt légal : 2972 - mai 2000
20.20.0522.01/1 ISBN : 2.01.200522.5
Loi n°49-956 du 16 juillet 1949
sur les publications destinées à la jeunesse